Jutta Bauer

Urlo di mamma

Titolo dell'originale tedesco
Schreimutter
Traduzione di Daniela Gamba
ISBN 978-88-8203-860-1

per Jasper

Settima ristampa aprile 2016

Gruppo editoriale Mauri Spagnol, Milano
www.nordsudedizioni.it

Jutta Bauer

Urlo di mamma

Nord-Sud
Edizioni

Stamattina la mia mamma ha urlato così forte,

che mi ha mandato in mille pezzi.

La mia testa è volata fra le stelle.

Il mio corpo è finito in mare.

Le mie ali si sono perse nella giungla.

Il mio becco è atterrato sui monti.

Il mio culetto è sparito in città.

Mi rimanevano le zampe,
che però continuavano a correre.

Volevo cercarmi,
ma gli occhi erano in cielo…

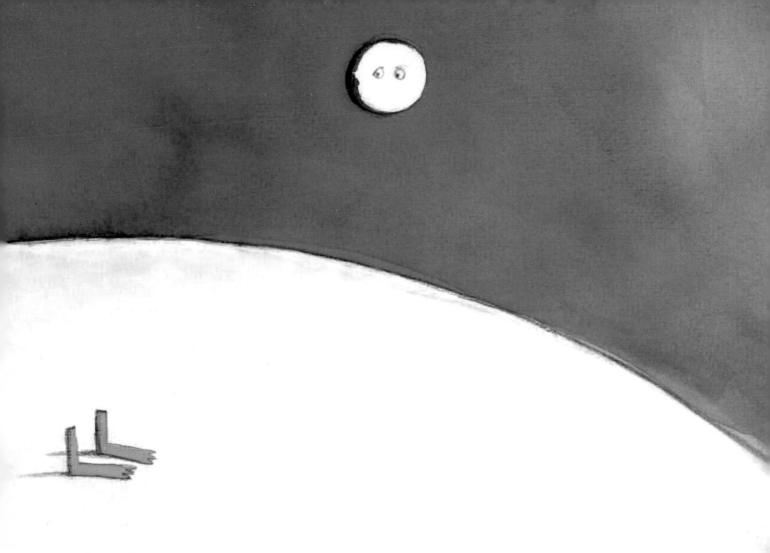

...volevo gridare, ma il becco era sui monti...

...volevo volare,
ma le ali erano nel fitto della giungla.

A sera le zampe arrivarono
stanche morte nel deserto del Sahara,

quando un'ombra enorme calò sopra di loro.

La mamma aveva raccolto
e ricucito tutto,

mancavano da attaccare soltanto le zampe.

«Scusa se ho urlato così forte» disse la mamma.

Stampato in Italia da MS Printing
nel mese di Maggio 2015